Grosses vagues à Hawaï

L'auteur : Mary Pope Osborne a écrit plus de quarante livres pour la jeunesse, récompensés par de nombreux prix. Elle vit à New York avec son mari, Will, et Bailey, un petit terrier à poils longs. Tous trois aiment retrouver le calme de la nature, dans leur chalet en Pennsylvanie.

L'illustrateur : Philippe Masson, né à Rennes en 1965, est issu d'une famille de marins bretons. Actuellement, il vit à Tours avec son amie et ses deux enfants, Lucas et Mona. Depuis 1997, il réalise les dessins de « Marion Duval » d'Yvan Pommaux pour le magazine *Astrapi*.

Au Dr Michael Pope.

Titre original : *Hide Tide in Hawaï*

Conception : Isabelle Southgate.
Réalisation : Sylvie Lunet.
Colorisation de la couverture ; illustrations de l'arbre, de la cabane et de l'échelle : Paul Siraudeau.
Suivi éditorial : Karine Sol.
Loi n° 49 956 du 16 juillet 1949 sur les publications destinées à la jeunesse.
Dépôt legal : octobre 2005 – ISBN : 2 7470 1730 3
Imprimé en Allemagne par Clausen & Bosse.

Grosses vagues à Hawaï

Mary Pope Osborne

Traduit et adapté de l'américain
par Marie-Hélène Delval

Illustré par Philippe Masson

TROISIÈME ÉDITION

BAYARD JEUNESSE

Léa

Prénom : Léa

Âge : sept ans

Domicile : près du bois de Belleville

Caractère : espiègle et curieuse

Signes particuliers : ne manque jamais une occasion d'entraîner son frère, Tom, dans des aventures mouvementées, sans se soucier du danger.

Tom

Prénom : Tom

Âge : neuf ans

Domicile : près du bois de Belleville

Caractère : studieux et sérieux

Signes particuliers : aime beaucoup les livres, qui l'aident à se sortir de situations périlleuses.

★

Les dix-neuf voyages de Tom et Léa

Tom et Léa ont découvert dans le bois de Belleville, perchée en haut d'un chêne, une cabane pleine de livres. C'est une

cabane magique !

Elle appartient à la fée Morgane, une magicienne et une célèbre bibliothécaire qui voyage à travers le temps et l'espace pour rassembler des livres.

Nos deux jeunes héros ont déjà vécu des **aventures extraordinaires** ! Il leur suffit d'ouvrir un livre, de poser le doigt sur une image en souhaitant se trouver à l'endroit représenté, et ils y sont aussitôt transportés !

★

Au cours de leurs quatre dernières aventures, Tom et Léa devaient recevoir quatre cadeaux pour délivrer le petit chien, Teddy, d'un mauvais sort.

Les enfants ont sauvé deux jeunes passagers du *Titanic.*

Ils ont assisté à une dangereuse chasse aux bisons.

Ils ont été attaqués par un tigre !

Souviens-toi...

Ils ont sauvé un bébé kangourou.

Nouvelle mission :

découvrir une magie

différente de celle des sorciers

et des magiciens.

Sauront-ils éviter tous les dangers ?

Lis vite les quatre nouveaux « Cabane Magique » !

★ N° 20 ★
Sur scène !

★ N° 21 ★
Gare aux gorilles !

★ N° 22 ★
Drôles de rencontres en Amérique

★ N° 23 ★
Grosses vagues à Hawaï

Prêt à suivre Tom et Léa dans leurs dangereuses aventures ?

Bon voyage !

Résumé du tome 22

★ ★ ★

Après avoir découvert le théâtre de Shakespeare, et communiqué avec les gorilles, Tom et Léa atterrissent en Amérique où ils sont recueillis par des villageois. Quelle chance ! Les deux enfants arrivent en pleins préparatifs d'une grande fête. Ils vont aider les villageois et participer à Thanksgiving. Comme nos héros ne sont pas très forts pour pêcher des anguilles, Priscilla, une jolie jeune fille, les envoie surveiller la bouillie de maïs et la soupe de poisson ! Entourés de différents peuples, ils feront un vrai festin !

1

La dernière énigme

Le ciel est rose à l'horizon. Le soleil va se coucher. Léa rêvasse sous le porche de la maison, tandis que Tom est plongé dans un livre sur les gorilles.

Soudain, la petite fille s'écrie :

– Tom ! Elle est de retour !

Son frère comprend tout de suite de quoi elle parle : la cabane magique, bien sûr ! Léa sent ces choses-là, elle ne se trompe jamais.

Tom pose son livre et court chercher son sac à dos.

Tous deux s'en vont en lançant :

– On fait un tour au bois !

– D'accord, dit leur mère. Mais ne restez pas longtemps, il va bientôt faire nuit.

Ils partent en courant et, quelques minutes plus tard, ils s'arrêtent au pied du grand chêne. Ils lèvent les yeux.

Oui ! La cabane est là !

Ils se dépêchent d'escalader l'échelle de corde.

– Quelle sorte de magie allons-nous découvrir, cette fois ? murmure Tom.

Dans un coin sont posés les rouleaux de parchemin qu'ils ont rapportés du temps de Shakespeare, le morceau d'écorce offert par le petit gorille et le sachet de maïs, cadeau de l'Indien Squanto.

– Là ! dit Léa en désignant un livre d'où dépasse une feuille de papier.

Tom court la ramasser, il la déplie et lit :

Mes chers enfants,
Mes vœux vous accompagnent
pour votre quatrième voyage.
Voici la comptine qui vous guidera
dans cette nouvelle aventure :
Ceux qui connaissent cette magie
Sauront toujours naviguer
Et sur les vagues de la mer,
Et sur les houles de la vie !

Morgane

– Qu'est-ce que ça veut dire ? soupire Tom. On devra construire un bateau ?

Sa sœur hausse les épaules :

– Je ne sais pas. On verra bien ! De quoi parle le livre ?

Les enfants regardent la couverture. L'image représente une immense plage bordée de cocotiers, et un océan scintillant.

Le titre est : *Autrefois, à Hawaï.*

– Oh ! s'exclame la petite fille. J'adore Hawaï !

– Pourquoi tu dis ça ? Tu n'y es jamais allée !

– Eh bien, j'y pars dès maintenant !

Léa pose le doigt sur l'image et récite :

– Nous souhaitons être transportés là-bas !

Ça y est ! Le vent se met à souffler, la cabane à tourner.

Elle tourne plus vite, de plus en plus vite. Elle tourbillonne comme une toupie folle.

Puis tout s'arrête, tout se tait.

2

Aloha ! Aloha !

Un vent tiède et parfumé caresse la peau de Léa.

Elle court à la fenêtre et s'exclame :

– C'est super beau, ici !

La cabane est posée sur la cime d'un palmier, au bord d'une prairie pleine de fleurs.

D'un côté, une falaise domine l'océan. De l'autre, on distingue les toits d'un village et, au loin, de hautes montagnes grises. Leurs sommets sont noyés dans les nuages, des chutes d'eau écumeuses cascadent le long de leurs flancs.

AUTREFOIS A HAWAÏ

– Je te l'ai dit, Tom ! J'aime Hawaï ! insiste la petite fille. Pas toi ?

– Moi, je veux d'abord en savoir plus, réplique son frère d'un ton sérieux.

Il remonte ses lunettes sur son nez, ouvre le livre et lit :

**Hawaï est un archipel, un ensemble d'îles de l'océan Pacifique.
La plus grande, Hawaï, lui a donné son nom. L'archipel a été formé il y a des millions d'années par des volcans. Des éruptions se produisaient sous la mer.
Peu à peu, les cratères ont émergé au-dessus de l'eau.**

– Wouah ! souffle Léa. Alors, on est sur un volcan ?

– Eh oui !

Tom continue la lecture :

Au fil du temps, la roche volcanique s' est émiettée, se transformant en terre. Des graines apportées par le vent ou par les oiseaux y sont tombées et ont germé. Des plantes et des arbres se sont mis à pousser. Les insectes et les oiseaux s'y sont installés.

– Génial ! commente Tom.
Il prend son carnet et son stylo pour noter :

Des graines apportées
par le vent...

Il lit encore :

Les premiers habitants sont arrivés à Hawaï il y a bientôt deux mille ans. Ils venaient de Polynésie, d'autres îles du Pacifique. Ils avaient parcouru près de 4 000 km à la rame, sur des canoës, poussés par les courants, guidés par la position du soleil et des étoiles, et le vol des oiseaux.

À cet instant, sa sœur l'interrompt :

– Chut ! Écoute !

Le vent apporte des bribes de musique, des rires.

– Il y a sûrement une fête au village, dit Léa. Allons voir ! Les gens nous aideront peut-être à comprendre le sens de la comptine !

Elle se dirige aussitôt vers l'échelle de corde.

Tom range vite ses affaires dans son sac

à dos et se dépêche de rejoindre sa sœur.

Les enfants traversent la prairie en direction du village. Le soleil descend à l'horizon, baignant le paysage d'une lumière rouge et or.

Tom regarde autour de lui, émerveillé : il y a des fleurs pourpres en forme de cloches, des fleurs blanches qui ressemblent à des étoiles, de hautes fougères, d'énormes papillons orange et noir, et de minuscules oiseaux jaunes.

Dès qu'ils sont assez près pour observer, Tom et Léa se dissimulent derrière un palmier.

Une cinquantaine de personnes sont réunies au centre du village, des vieux, des jeunes, des enfants. Tous portent autour du cou des colliers de fleurs tressées.

Une femme chante ; sa voix monte et descend comme une vague.

La chanson parle d'une divinité nommée Pelé, la déesse du volcan. Des musiciens accompagnent la chanteuse.

Certains soufflent dans des sortes de flûtes, d'autres secouent des calebasses semblables à de gros hochets, d'autres encore font cliqueter des baguettes de bois.

Les villageois, pieds nus, dansent au

rythme de la musique, balançant les hanches et agitant les mains.

– J'aime bien cette danse ! chuchote Léa, ravie, en se déhanchant elle aussi.

– Reste tranquille ! souffle Tom.

Il ressort le livre du sac, le feuillette et trouve ce qu'il cherchait. Il lit :

Les premiers habitants de l'île
n'avaient pas de langue écrite.
Ils se transmettaient
les histoires à travers le hula,
mélange de danse et de poésie chantée.

Tom s'apprête à noter ça lorsque de grands éclats de rire et des applaudissements le font sursauter.

Il lève les yeux. Léa n'est plus là !

Il glisse un œil prudent de derrière son palmier.

Et il voit sa sœur qui se trémousse en mesure au milieu des danseurs ! Aucun d'eux ne paraît étonné.

Une fille aperçoit alors Tom. Elle a de longs cheveux noirs et brillants, et doit avoir à peu près le même âge que Léa. Elle fait signe au garçon :

– Viens ! Viens danser avec nous !

Tom se rencogne derrière l'arbre en grommelant :

– Danser, moi ? Pas question !

Mais la fille se dirige vers lui sans cesser de rouler des hanches au rythme de la musique :

– Viens donc !

Elle le tire par la main et l'amène au beau milieu du cercle.

Les musiciens jouent plus fort, les danseurs le dévisagent en souriant.

Le garçon reste planté là, tête baissée, serrant son sac contre lui. Il ne sait pas danser, et encore moins le hula !

Au bout d'un moment, la musique se tait. Les villageois entourent Tom et Léa. Leurs visages sont amicaux.

– Qui êtes-vous ? demande la jeune Hawaïenne.

– Je m'appelle Léa, et voici mon frère, Tom.

– Je suis Kama, dit la fille. Et lui, c'est mon frère, Boka.

Elle désigne un garçon de l'âge de Tom.

Boka s'avance. Avec un grand sourire, il ôte son collier de fleurs et le passe au cou de Léa :

– Voici un lei, pour t'accueillir parmi nous !

Sa sœur Kama ôte le sien et le passe au cou de Tom :

– Aloha, Tom et Léa ! Bonjour et bienvenue !

– Aloha ! reprennent en chœur tous les villageois.

3

Une nuit dans une hutte

– Aloha ! répètent Tom et Léa.

– D'où venez-vous ? les interroge une jolie jeune femme.

– Du bois de Belle..., commence Léa.

Son frère lui coupe la parole.

– Nous venons de là-bas, fait-il en désignant les hauts sommets, derrière le village. De l'autre côté de la montagne.

– Nous sommes très heureux de votre visite, lui assure une autre femme.

Tous les villageois approuvent de la tête sans cesser de sourire.

« Ce qu'ils sont aimables, c'est incroyable ! » pense le garçon.

Kama prend Léa par la main et lui dit :

– Allons nous asseoir un peu plus loin pour bavarder !

Kama et Boka emmènent Tom et Léa dans la prairie. Tous quatre s'installent dans l'herbe.

La petite Hawaïenne demande :

– Racontez-nous comment c'est, de l'autre côté des montagnes, à Boidebel !

Le sourire de Kama est si confiant que Tom

a envie de lui dire la vérité. Il explique :

– En fait, cela s'appelle « le bois de Belleville ». C'est très loin, bien plus loin que l'autre côté des montagnes. Nous avons voyagé dans une cabane magique.

Kama et Boka écarquillent les yeux, émerveillés :

– Une cabane magique !

– Vous avez de la chance !

Tom et Léa éclatent de rire, tout heureux de partager leur secret, comme avec leur ami Shakespeare*. Lui aussi avait cru à la cabane magique !

– Voulez-vous dormir chez nous, cette nuit ? propose Kama.

Tom hoche la tête :

– Oh oui ! Nous pouvons rester ici jusqu'à demain.

– Alors, venez !

Les quatre enfants sautent sur leurs pieds et retournent au village.

* Lire le tome 20, *Sur scène !*

Le soleil est presque couché maintenant.

Kama court vers la jolie jeune femme :

– Maman !

Elle parle un instant avec elle, puis crie à Tom et Léa :

– Notre mère est d'accord !

– Super ! se réjouit Léa. Merci !

Kama et Boka font entrer leurs nouveaux amis dans une hutte au toit pointu. Il n'y a pas de porte, juste une large ouverture.

Dans la pénombre, Tom et Léa distinguent une grande pièce avec des nattes d'herbe tressée sur le sol. Leurs nouveaux amis les invitent à s'y étendre.

Les enfants ôtent leurs baskets et leurs colliers de fleurs, puis ils s'allongent. Tom met

son sac à dos sous sa tête en guise d'oreiller.

– Hmm... ! soupire-t-il. On est bien !

Dehors, le vent agite doucement les palmes. On entend gronder la mer, au loin.

– L'océan nous parle, murmure Kama.

– Demain, ajoute Boka, nous vous emmènerons glisser avec les vagues.

– Tu veux dire... avec une planche ? s'inquiète Tom.

– Oui, oui !

– Oh ! Génial ! souffle Tom.

En vérité, cette idée le terrorise !

Comme s'il avait lu dans ses pensées, Boka reprend :

– N'aie pas peur ! On s'amusera bien !

– J'en suis sûre ! intervient Léa. Chez nous, on appelle ça surfer !

Ils se taisent. Bientôt, Tom n'entend plus autour de lui que des respirations régulières. Les autres enfants sont endormis.

« On a oublié de leur demander s'ils savaient construire un bateau, songe le garçon en se souvenant de la comptine. Il faudra y penser demain... »

Il ferme les yeux et bâille. Une minute après, il dort lui aussi.

Un vrai paradis !

Tom est tiré de son sommeil par un bruit régulier ; on dirait des coups de marteau.

Il ouvre les yeux. Seuls Léa et lui sont encore dans la hutte. Un morceau de tissu ferme l'entrée. Il secoue sa sœur :

– Léa ! Réveille-toi ! Je crois qu'ils construisent un bateau, dehors !

La petite fille se lève aussitôt :

– Allons voir !

Elle ramasse son lei et le passe à son cou. Puis, pieds nus, elle va soulever le pan de tissu. Tom prend son sac à dos.

Tous deux sortent en clignant des yeux, éblouis par la chaude lumière du soleil.

Boka, Kama et leurs parents sont au travail, mais ils ne sont pas occupés à construire un bateau.

Boka martèle un morceau d'écorce avec un pilon de bois. Kama broie avec une pierre une sorte de grosse pomme de terre. Près d'eux, leurs parents tressent de longues herbes.

– Qu'est-ce que vous faites ? veut savoir Tom.

– Je fabrique du tapa, explique Boka. J'aplatis des écorces de mûrier pour les transformer en fines feuilles souples. Mon père les assemblera pour nous faire des vêtements.

– Et toi, Kama ? s'intéresse Léa.

– J'écrase une racine de taro. On la mélange avec des fruits, c'est très bon. Ça s'appelle du poi !

– Super ! approuve Tom. Et... vous savez aussi construire des bateaux ?

– Des bateaux ? s'étonne Boka. Pourquoi ?

Tom hausse les épaules :

– Eh bien, pour... euh... naviguer.

Boka sourit :

– Ici, on a mieux que des bateaux !

Il se tourne vers ses parents :

– Papa, maman, on peut emmener Tom et Léa glisser sur les vagues ?

Tom retient son souffle. Il espère que les parents vont dire non... Mais ils disent oui, forcément !

– Amusez-vous bien ! lancent-ils aux enfants. Et n'oubliez pas le petit déjeuner !

– Oh non ! dit Boka en riant.

Tom et Léa suivent leurs amis. Tom se demande :

« Où va-t-on déjeuner ? Il n'y a pas de restaurant, dans le coin ! »

Les enfants traversent le village, et les gens les saluent aimablement.

– Vous avez faim ? demande Boka.

– Très faim !

Boka et Kama s'arrêtent chacun devant un cocotier. S'aidant des mains et des pieds, ils grimpent avec agilité le long des troncs penchés. Arrivés en haut, ils secouent les palmes.

– Attention, en dessous ! crie Kama.

De grosses noix de coco rebondissent sur le sol ; Tom et Léa ont juste le temps de sauter en arrière.

Les deux Hawaïens se laissent glisser jusqu'à terre. Ils ramassent chacun une grosse pierre et ils tapent, ils tapent, jusqu'à ce que les dures coques se fendent. Kama tend un fruit à Léa, Boka en donne un autre à Tom. Ils boivent le lait frais et sucré contenu dans les noix. C'est délicieux !

Ensuite, Kama cueille des bananes. Ça, au moins, c'est facile à éplucher !

Tom en pèle une et mord dedans. Hmm ! C'est la meilleure banane qu'il ait mangée ! Et le meilleur petit déjeuner de sa vie !

Après cela, les enfants traversent la prairie pleine de fleurs.

Le ciel est d'un bleu comme Tom n'en a jamais

vu. L'herbe est d'un vert incroyablement vert. Les pétales des fleurs et les plumes des oiseaux brillent comme des pierres précieuses.

« Hawaï est un vrai paradis ! » pense le garçon. Il aimerait chercher dans le livre le nom de ces fleurs et de ces oiseaux.

Mais les autres courent devant.

Léa l'appelle :

– Tom ! Tu viens ?

Elle est déjà au bord de la falaise, entre Boka et Kama.

Tom se dépêche de les rejoindre. Il regarde la plage, en bas.

Il n'y a personne, rien que des algues et des coquillages éparpillés sur le sable blanc. Les vagues s'écrasent sur le rivage dans un brouillard d'écume.

– Wouah ! fait Léa.

« Oooooh, nooooon ! » pense Tom, la bouche sèche.

5

Debout !

Boka se tourne vers Tom et lui sourit :

– Prêt ?

– Où sont les planches de surf ? demande Léa.

Kama désigne un étroit sentier taillé dans le roc, qui descend jusqu'à la plage :

– Là, en bas !

– Allons-y ! s'écrie Léa.

Les quatre enfants s'engagent sur la pente raide. Tom marche le dernier, à petits pas prudents.

Arrivé sur la plage, il enfonce ses doigts

de pieds dans le sable chaud, fin et doux comme de la soie.

– Je... euh... Je ferais bien une petite promenade, déclare-t-il.

Les autres n'ont pas entendu. Ils se dirigent déjà vers une rangée de planches de bois appuyées aux rochers.

Boka en choisit une et la tire jusqu'à Tom :

– Tiens ! Pour toi !

Tom regarde l'objet : il mesure au moins deux mètres !

– Ce n'est pas un peu grand pour moi ? murmure-t-il.

Boka secoue la tête :

– Non, non ! Une grande planche, c'est mieux !

Il en donne une à Léa. Puis lui et Kama s'équipent à leur tour.

Tom hésite. Finalement, il pose sa planche dans le sable, sort le livre de son sac et annonce :

– Je vais d'abord me renseigner un peu sur le surf.

– Qu'est-ce que tu as là ? demande Kama.

– Un livre. Un livre nous apprend des tas de choses !

– Ça parle ? s'étonne Boka.

– Ça ne parle pas, explique Léa. Ça se lit.

Les deux petits Hawaïens échangent un regard perplexe. Léa dit à son frère :

– Tu liras plus tard. Pour l'instant, c'est avec Boka et Kama qu'on va apprendre.

Et elle marche vers la mer en traînant sa planche.

Tom soupire, range le livre, laisse son sac sur le sable, soulève sa planche et suit les autres.

Quand ils sont au bord de l'eau, Kama déclare :

– Il faut commencer par passer la barre, là où les vagues se brisent.

Les enfants entrent dans l'eau fraîche.

« Les vagues ne sont pas si grosses que ça », tente de se convaincre Tom. Mais, plus il avance, plus elles lui semblent énormes. La première qui le frappe manque de le renverser.

Il observe les autres, devant lui. Quand une vague arrive, ils lancent leur planche par-dessus et plongent par-dessous.

Tom tâche d'en faire autant, tout en tenant

ses lunettes. Il passe sous une vague, il se redresse. Il n'y voit plus très bien à travers ses verres mouillés. Courageusement, il recommence. Enfin, il franchit la barre !

– Maintenant, lance Boka, on va ramer pour attraper une grosse vague !

Lui et Kama s'allongent sur leur planche et se mettent

à pagayer avec les mains. Tom et Léa les imitent.

Glissant sur la légère houle, Tom est plus à l'aise.

– Demi-tour ! dit Boka. À mon signal, vous ramez vers la plage !

– Après, on se met debout ? s'informe Léa.

– Reste à plat-ventre ! lui conseille Kama. Pour une première fois, c'est plus prudent.

– Voilà une belle vague ! crie Boka.

– Hé, minute ! fait Tom, paniqué.

Tout se passe trop vite ; il a encore des tas de questions à poser.

– On y va ! crie Boka.

Une énorme vague roule vers eux. Tom pagaie comme un fou. Il se sent soudain soulevé et emporté vers le rivage à une vitesse incroyable.

Du coin de l'œil, il voit Kama et Boka, debout sur leurs planches. Et... Léa ! Léa est debout aussi !

Tom a très envie d'en faire autant. Il se met à genoux, il s'appuie sur un pied, il se redresse... L'espace d'une seconde, il lui semble qu'il va s'envoler comme un oiseau, et... PLAF !

Il tombe, rattrape ses lunettes de justesse. La vague passe au-dessus de sa tête en grondant. L'eau salée lui emplit la bouche, le nez.

Quand il émerge, il tousse, il crache. Sa planche file loin devant. Une deuxième vague le culbute. Il sort la tête, avale une goulée d'air avant qu'une troisième vague déferle sur lui, l'emporte, et le dépose enfin sur la plage.

6 Tremblement de terre

Le garçon remet ses lunettes. Heureusement qu'il ne les a pas lâchées !

Léa se précipite :

– Tom ! Ça va ?

Le garçon hoche la tête. Il est furieux contre lui-même : pourquoi a-t-il tenté de se mettre debout ?

Kama tire la planche sur le sable.

– Tu as fait un beau plongeon ! le taquine-t-elle en riant.

« Ce n'est pas drôle, pense-t-il, contrarié. J'ai failli me noyer ! »

– Allez, on recommence ! dit Boka.

– Recommencez si vous voulez. Moi, je vous attends ici, grommelle Tom.

Les yeux lui piquent, sa peau le brûle. Il va s'asseoir près de son sac, en sort le livre et le feuillette.

– Viens, Tom ! insiste Léa. Essaie encore une fois !

– Non ! Je lis d'abord !

– On apprend à surfer en surfant ! Pas en lisant !

Elle lui arrache le livre des mains. Tom bondit pour le lui reprendre. Il dérape et se retrouve le nez dans le sable.

Kama et Boka s'esclaffent.

– Qu'est-ce qui vous fait rire ? aboie Tom. D'accord, je ne sais pas surfer. Mais vous, vous ne savez pas lire !

Les jeunes Hawaïens se taisent, vexés.

– Tom ! s'emporte Léa. C'est méchant, de dire ça !

Le garçon plonge le nez dans son livre sans répondre.

– D'accord ! On te laisse !

La petite fille s'éloigne avec Boka et Kama. Tom reste seul.

Au bout d'une minute, il lève les yeux. Il regarde les trois surfeurs pagayer avec leurs mains. Il marmonne :

– Ça m'est égal ! Je ne retournerai jamais sur ces vagues. Morgane ne nous a pas envoyés ici pour surfer. On devait construire un bateau... Oh, et puis, flûte ! Cette comptine est idiote !

Maintenant, Tom en veut même à la fée.

Soudain, il entend un grondement, et il

a l'impression d'être assis sur le dos d'une bête qui remue. Des coquillages sautent dans le sable, un rocher dégringole de la falaise.

Tom pense, effrayé : « Un tremblement de terre ! »

Presque aussitôt, le grondement se tait, la secousse cesse.

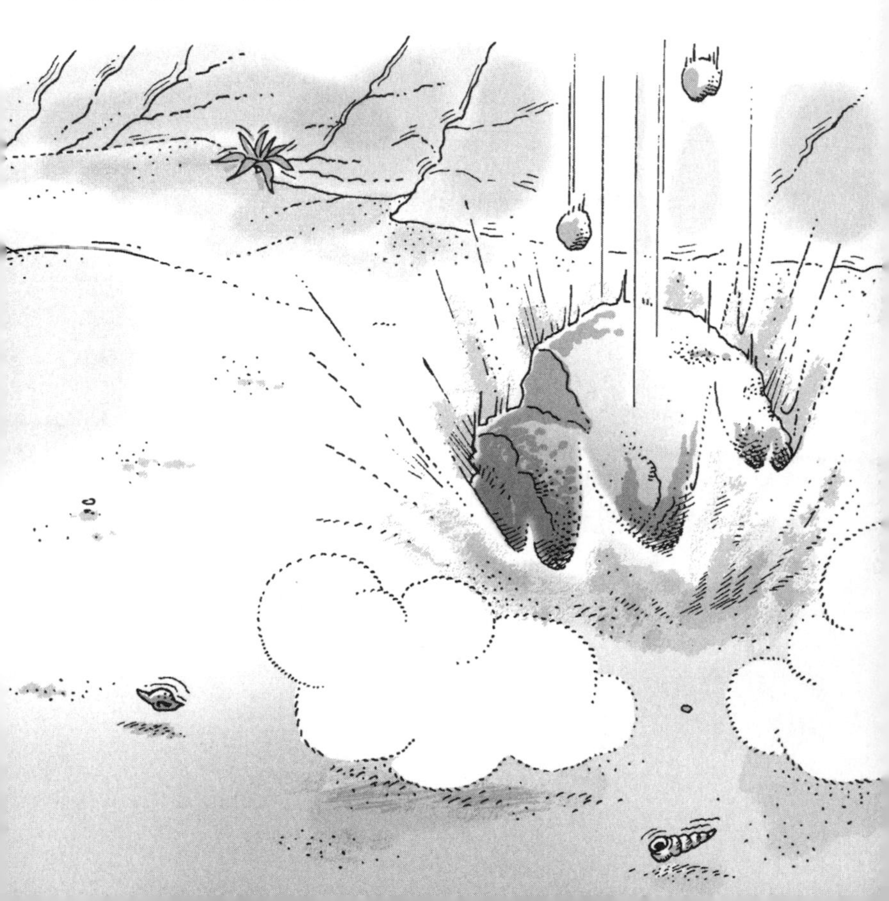

Pourtant, Tom a un drôle de pressentiment. Il ramasse le livre, cherche le chapitre « Tremblement de terre ». Il lit :

Lorsqu'un tremblement de terre
se produit quelque part sous la mer,
cela peut causer un raz de marée,
appelé tsunami.
L'eau se retire d'abord loin du rivage.
Puis elle revient sous forme
d'une vague gigantesque,
de dix, vingt, ou même cinquante
mètres de haut.

Le garçon regarde vers la mer. Kama, Boka et Léa ont franchi la barre.

Tout est normal ; la mer est normale ; les vagues sont normales. Pour l'instant.

7

Panique

Tom doit en savoir plus ! Il se dépêche de lire :

Le tsunami survient quelques heures ou quelques minutes après le tremblement de terre. Tout dépend de sa force et de l'endroit où il s'est produit. Les habitants des côtes doivent se réfugier au plus vite dans des lieux élevés.

Tom mesure la falaise des yeux.

Quelle hauteur fait-elle ? Dix mètres ? Vingt ? À son sommet, ils seront peut-être en sécurité...

Le garçon referme le livre, le met dans son sac, et se précipite au bord de l'eau. Là-bas, les trois surfeurs continuent de pagayer.

– Boka ! Kama ! Léa ! Revenez !

Mais ils ne l'entendent pas.

Tom entre dans l'eau et crie encore :

– Hé ! Revenez !

Ils ne se retournent même pas.

Tom va chercher sa planche, la tire jusqu'à l'eau et la pousse, face aux vagues. Il franchit la barre sans savoir comment, s'allonge sur la planche et rame de toutes ses forces.

La houle grossit. Il peut à peine voir les trois autres, loin devant. Pourquoi vont-ils si loin, d'ailleurs ?

– Hé ! hurle-t-il. Hé !

Enfin, Boka l'entend, et lui adresse un grand sourire. Tom lance à pleins poumons :

– Vite ! Revenez !

Cette fois, ils ont entendu et font demi-tour.

– Qu'est-ce qui se passe, Tom ? demande Léa.

– Il y a eu un tremblement de terre ! Je l'ai senti, sur la plage. Ça peut causer un tsunami !

– Regagnons le rivage ! Et restez à plat-ventre, c'est plus sûr, conseille Kama en gardant son sang-froid.

– Voilà une vague ! On la prend ! décide Boka.

La vague les soulève et les emporte. Tom se cramponne aux bords de la planche. Il file, il file... Il s'échoue enfin sur le sable.

– Bravo, Tom ! le félicite Boka. Belle course !

Mais le garçon est inquiet :

– Où est Léa ?

Kama désigne la petite fille, qui tire sa planche en pataugeant dans l'eau.

Tom remarque alors un étrange phénomène : l'eau se retire autour d'elle !

La vague géante

– Léa ! crie Tom. Cours !

L'eau est comme aspirée loin de la plage, et une sorte de long sifflement monte de la mer.

Léa laisse tomber sa planche et s'élance. Tom ramasse son sac, il attrape au passage la main de Léa, qui saisit celle de Kama, qui prend celle de Boka.

Et tous les quatre, ils courent, ils courent comme des fous vers la falaise.

Ils escaladent l'étroit sentier aussi vite qu'ils peuvent. Ils atteignent le sommet,

hors d'haleine, et voient alors surgir une troupe de villageois affolés. Les parents de Boka et de Kama sont en tête. Ils hurlent :

– Éloignez-vous du bord ! Vite !

Les enfants obéissent. Des bras se tendent vers eux, les entraînent en arrière. Une excla-

mation horrifiée monte de toutes les poitrines.

Tom et Léa n'en croient pas leurs yeux : une vague gigantesque arrive du bout de l'horizon, telle une sombre montagne d'eau. Elle avance vers le rivage, de plus en plus haute, de plus en plus noire.

– Reculez ! crie quelqu'un.

La vague s'écrase contre la falaise dans un bruit de tonnerre, aspergeant tout le monde.

Lorsque la vague s'est retirée, les gens s'approchent prudemment.

Le sentier menant à la plage a disparu. L'eau emporte vers la mer des rochers, du sable, des algues, les planches de surf.

– Je n'ai jamais rien vu d'aussi effrayant, souffle Léa.

– Moi non plus, dit Tom. Il était moins une !

Les deux petits Hawaïens se jettent au cou de leurs parents, riant et pleurant en même temps.

Tom embrasse Léa. Il embrasse Kama et Boka, il embrasse leurs parents et tous les autres, même s'il ne les connaît pas.

9

Le secret de la comptine

Enfin, l'émotion retombe. Les villageois rejoignent leurs habitations.

Tom et Léa les accompagnent.

– Nous avons senti le tremblement de terre, dit le père de Boka et Kama. Nous savions qu'une vague géante pouvait se produire. Nous avons couru aussitôt vers la falaise pour vous prévenir.

– C'est Tom qui nous a sauvés, explique Boka. Il a su ce qui allait arriver grâce à un livre.

– Un livre ? demande sa mère. Qu'est-ce que c'est ?

Léa pousse son frère du coude :

– Montre-leur !

Tom sort le volume de son sac et tourne les pages :

– On peut tout apprendre, dans les livres.

La jeune femme hoche la tête :

– Alors, les livres sont une bonne chose !

– Ils racontent aussi des histoires, ajoute Léa.

Kama ouvre de grands yeux :

– C'est impossible ! Ils ne peuvent pas chanter et danser !

– Ça, c'est vrai ! reconnaît Tom en riant.

– Eh bien, nous, intervient Boka, nous allons raconter notre aventure avec le hula.

– Super ! se réjouit Léa.

Bientôt, tout le village est rassemblé. Les musiciens se mettent à jouer, des femmes

commencent à danser. Boka et Kama se déhanchent aussi, bras levés, au rythme des flûtes et des percussions. Léa les rejoint.

Tous trois miment comment ils ont ramé vers le large.

Puis Kama entame un chant, qui raconte la course de Tom sur la plage, ses appels,

son courage ; un chant qui décrit les planches glissant à toute vitesse sur la vague comme des oiseaux poussés par le vent.

Soudain, Tom s'aperçoit qu'il est au milieu du cercle, agitant les bras et remuant les hanches ! Lui, Tom, il danse le hula !

Tout le village danse, et les cocotiers alentour agitent leurs palmes eux aussi, en cadence.

Quand le hula s'achève, les gens applaudissent.

– Merci pour votre aide ! dit Boka à Tom et Léa.

– On a formé une bonne équipe, remarque la petite fille.

– Je suis désolé de m'être mis en colère, murmure Tom.

– On n'aurait pas dû se moquer de toi, déclare Kama.

La mère des petits Hawaïens dit doucement :

– Les vagues de la mer sont comme les houles de la vie : parfois elles sont tranquilles et régulières, parfois hautes et violentes. Mais, quand on est amis, on n'a pas peur de les affronter.

Léa pousse alors une exclamation :

– Tom ! La comptine de Morgane ! Tu t'en souviens ?

Ceux qui connaissent cette magie
Sauront toujours naviguer
Et sur les vagues de la mer,
Et sur les houles de la vie !

Le visage du garçon s'illumine :

– Cette magie, c'est d'être amis !

Tous deux éclatent de rire. Boka et Kama les regardent, perplexes.

Puis ils rient, eux aussi, parce qu'ils sont heureux, et que le rire, c'est contagieux !

Finalement, Léa soupire :

– Nous devons partir, maintenant.

– Oui, ajoute Tom. C'est le moment de se dire au revoir.

– Chez nous, nous ne disons jamais au revoir, explique Kama. Quand nous quittons nos amis, comme quand nous les accueillons, nous disons Aloha !

– Même séparés, ajoute Boka, les amis sont toujours ensemble.

Tom et Léa se dirigent vers la cabane. En traversant la prairie, ils se retournent plusieurs fois en faisant de grands gestes du bras :

– Aloha ! Aloha !

Et les minuscules oiseaux jaunes, les grands papillons orange et noir volettent autour d'eux gaiement.

Arrivés dans la cabane, les enfants courent à la fenêtre. Ils regardent une dernière fois le village, les palmiers, les montagnes, au loin, et l'océan, redevenu paisible.

– Mon lei est un peu abîmé, dit Léa en ôtant son collier de fleurs, mais je ne l'ai pas perdu.

– C'est grâce à la magie de l'amitié ! lui assure Tom.

La petite fille va poser le collier près des autres objets rapportés de leurs trois derniers voyages.

Puis elle prend le livre qui les ramènera chez eux. Tom soupire :

– J'adore Hawaï !

– Ah ! Tu vois ! le taquine Léa.

Elle pose le doigt sur l'image de leur bois et déclare :

– Nous souhaitons retourner chez nous !

Et voilà ! Le vent se met à souffler, la cabane à tourner. Elle tourne plus vite, de plus en plus vite.

Puis tout s'arrête, tout se tait.

10

De la magie tous les jours !

Le soleil n'est pas encore couché. Comme les autres fois, le temps est resté suspendu, dans le bois de Belleville.

Une voix mélodieuse accueille les enfants :

– Vous voilà de retour !

– Morgane !

La fée est là ! Sa chevelure d'argent illumine la cabane. Tom et Léa se jettent dans ses bras.

– On a découvert les quatre sortes de magie, annonce fièrement la petite fille. On a rapporté les preuves.

– Je vois, dit la fée.

Elle désigne les rouleaux et le morceau d'écorce.

– Vous avez découvert la magie du théâtre, et celle de comprendre les animaux !

Elle soupèse le petit sac de maïs et enroule autour de son bras le collier de fleurs :

– Vous avez découvert aussi la magie de la fraternité et celle de l'amitié.

Morgane regarde les enfants gravement :

– Maintenant, Tom et Léa, écoutez-moi ! Inutile d'aller très loin pour découvrir ces magies : elles sont là, dans votre vie, tous les jours. Vous êtes devenus les Magiciens du quotidien.

Les enfants hochent la tête, les yeux brillants : être des Magiciens du quotidien, cette idée leur plaît beaucoup !

– Bientôt, reprend la fée, vous serez invités à utiliser ces talents de magiciens dans un royaume de légende.

– Dans votre royaume ? s'exclame Léa, pleine d'espoir. Au château de Camelot ?

À cet instant, une voix s'élève au loin :

– Tom ! Léa !

– Papa nous appelle, dit Tom.

Il sort le livre sur Hawaï de son sac et le tend à la fée :

– Nous devons rentrer. Au revoir, Morgane !

Déjà, les enfants se précipitent hors de la cabane.

– Au revoir ! leur crie la fée. Nous nous retrouverons, car d'autres aventures vous attendent !

Lorsque Tom et Léa arrivent au bas de l'échelle, un tourbillon de lumière illumine la cime du grand chêne. L'instant d'après, la cabane a disparu.

Tom murmure :

– D'autres aventures... Ce sera dangereux, tu crois ?

– Je ne sais pas, dit Léa. Mais il y aura de la magie, j'en suis sûre !

Tom se tait, songeur : la magie c'est bien, mais... Il reprend :

– C'est un peu effrayant, non ?

La petite fille sourit :

– On s'en sortira ! N'oublie pas qu'on est les Magiciens du quotidien !

Le garçon hoche la tête, rassuré. Au bout

du sentier, il aperçoit leur rue, leur maison, toute rose dans le soleil couchant.

Et il se dit qu'avoir un chez-soi où on est bien, ça aussi, c'est magique !

Fin

Retrouve bientôt

Tom et Léa

pour une nouvelle aventure
dans le château du roi Arthur.

Si tu as envie de nous donner
tes impressions sur la série
ou nous parler de tes propres voyages,
réels ou imaginaires,
n'hésite pas à nous écrire !

N'oublie pas d'écrire
ton nom et ton adresse sur la lettre !